Zon en poëzie zijn universeel

Hervé Deleu
Yiyan Han

2023

In de ochtendfile

Schuivend in de ochtendfile
na een nacht onrustig
verwordt de tijd tot haar stille bondgenoot
wellustig stuwt vanuit de diepte
de autoverwarming
haar jeanspijpen binnen
even krult ze de tenen
ongegeneerd omklemt ze
de gladde kop
van de pookversnelling
en ademt traag
haar elegante hand
glijdt ritmisch
de verchroomde stang op en neer
terwijl haar voet met de motor speelt
en vibraties jaagt
door haar hele onderlijf
ze spiedt in de achteruitkijkspiegel
waarin haar genietende ogen
alleen die van haar ontmoeten
nog even duurt het spel
waarvan zij meester is
als de file oplost
droogt ook haar onvervuld verlangen.

早晨堵車的路上

度過了一個輾轉難眠之夜
陷進早晨的交通堵塞
時間成了她的密友。
車內令人愉悅的暖氣
從腳底湧進牛仔褲裡。
她捲曲了一會兒腳趾。
毫不羞澀
她撫握著光滑的換擋桿
並且放慢了呼吸。
她優雅的手
順著鍍鉻的圓桿
上下有節奏地滑動
腳同時調節著空轉的引擎
振動波
穿透她的整個腹部。
從後視鏡裡
她看到了享受的眼神
那是在看她自己。
這場遊戲需要一段時間
她就是遊戲大師。
假如堵著的車子開始移動
她未了的渴望就會一場空。

Als liefde doodt

De voeten met elkaar verweven
de koppen op aparte steel
samen diep in 't moerasleven
twee planten en toch één geheel
als haar tijd is aangebroken
stijgt een knop naar 't oppervlak
door 't felle zonlicht dra ontloken
kleurt haar schoonheid 't watervlak
onleefbaar door het vele smachten
breekt de andere knop haar steel
weigerend haar tijd te wachten
wil ze naar haar partner heen
vrij maar stervend in het zonlicht
de knop onrijp verborgen rood
woordeloos liefde te dichten
een kus en dan de dood.

致命的

腳纏繞在一起
頭長在不同的莖上
一起生活在深深的沼澤
兩株植物但卻是一個整體。cc

一枝花蕾的時刻到來
她浮出了水面
在明亮的陽光下展示
她的美麗給水面塗上了色彩。

另一枝花蕾迫不及待
折斷了她的莖
抑制不住心中的渴求
去陪同她的伴侶。

自由了……卻在陽光下死去
未成熟的花蕾……看不見的紅暈
默默無言的愛
爲了一個吻……將生命捨棄。

Verlangen

Ze loopt door het kraaknette huisje
langs het blauwe behang
met lis en vogeltjes
en het dressoir dat glanst
onder het stof van de eenzaamheid
naar de wilde tuin
met de kapotte bank
waar geraniums met
knalrood geschminkte lippen
de witte gevel kussen
en een verlangen doen ontwaken
naar wat afwezig is.

慾望

她穿過一座整潔無瑕的房子
順著藍色的
印著鳥與百合花的壁紙
和在孤寂的塵埃下
發亮的梳妝台
進入荒蕪的花園
裡面有一個破損的歐式躺椅
天竺葵鮮紅的嘴唇
親吻著白色的牆面
一個消失的慾望
因此甦醒。

Nu je gaat

Sierlijk is niet de zwaan
maar het water
waarin de zwaan zich eindloos
in weerspiegeld waant
het warmst is niet jouw blik
maar de mijne
omdat jpuw blik als marmer glanzen gaat
het zachtst zijn niet jouw armen
maar de mijne
omdat jouw armen mij als versteend
alleen doen staan
teder zijn niet jouw woorden
maar de mijne
omdat jouw woorden in mij
onhoorbaar wonden slaan
verdriet is niet de traan
maar de kilte
die ik als sjaal
eeuwig omheen mijn schouders draag
en toch
naast alles wat niet bleef, bleef jij mij over
want alles gaat voorbij
maar niets gaat over.

現在你離開了

優雅的不是天鵝，而是湖面
在湖面上，天鵝想像自己有無數的倒影。
最溫暖的不是你的目光，而是我的
因為你的目光會像大理石一樣發亮。
最柔軟的不是你的手臂，而是我的
因為你的手臂讓我孤獨驚呆地站立。
溫柔不是你的言語，而是我的
因為你的言語擊中了我聽不見的傷口。
悲傷不是淚水，而是我冷漠的表情
就像一條永遠戴著的披巾。
然而……
除了沒有留下的東西，其餘的你留給了我
因為一切都會過去，但沒有什麼會消失。

Nachtvlinder

Ik vlieg met wassen vleugels
onder de koude maan
zoekend naar gedeelde bedden
waar kussen worden gewisseld
in plaats van woorden
en boezems in grijpgrage handen slapen
omgeven door spiedende stenen
gluur ik goddeloos
naar ogen die meer lezen in andere ogen
over de liefde
dan wat er in de boeken over te lezen valt
ik schroei zowaar mijn vleugels.

飛蛾

我擁有一副蠟翅膀
在冰冷的月光下飛翔
尋找共享之床
那是交換接吻
而不是言語的地方
乳房躺在貪婪的手掌
周圍是窺視的石頭
我驚詫地注視著那雙眼睛
她能從別人的眼裡看出愛情
最終，慾火燒壞了我的翅膀。

譯者註：詩中的隱喻「蛾」與「蠟翅膀」來自希臘神話中伊卡洛斯（Icarus）的故事。

Slaap, kindje, slaap

Zacht en geurend
als de New Dawn,
een schreiend wezentje
dat het donker schuwt,
streelt zij mijn wang:
'Slaap, kindje, slaap,
daarbuiten loopt een schaap...'
Ze glimlacht
en ik omarm het leven.
Haar huid droog
als een wetboek,
een bange hagedis
op een warme steen,
streel ik haar wang:
'Slaap, kindje, slaap,
daarbuiten loopt een schaap...'
Ze glimlacht
en haar ogen breken.

睡吧寶貝，睡吧

柔軟甜美
像一朵「新黎明」玫瑰，
哭哭啼啼的幼嬰
討厭黑暗。
她撫摸著我的小臉蛋：
「睡吧，寶貝，睡吧
外面走著一隻羊。」
她慈愛地微笑
我將生活擁抱。

她乾燥的皮膚
如同一本法律書，
一隻受驚的蜥蜴
躺在一塊溫暖的石頭上。
我撫摸著她乾癟的臉龐：
「睡吧，寶貝，睡吧
外面走著一隻羊。」
她滿意地微笑
一雙眼睛回光反照。

Tragikomedie

Scène 1 Scheppen
Scène 2 Scheppen
Scène 3 Scheppen
Scène 4 Scheppen
Scène 5 Scheppen
Scène 6 Scheppen
Scène 7 Rusten
Hij dronk thee
at er een koekje bij
smaakte dat het goed was.
Wist Hij veel
wat een theater zij daar beneden
er elke dag
van zouden maken.
Hij wacht nog steeds
op de slotscène.

悲喜劇

場景1創作
場景2創作
場景3創作
場景4創作
場景5創作
場景6創作
場景7 休息
他喝茶
吃餅乾
味道都還不錯。
可他幾乎不知道
每一天
現實的世界
如何
看待他的創作。
他依然在等待
最後的一幕。

(On)zichtbaar

Een god is onzichtbaar
een ziel is onzichtbaar
een deugd is onzichtbaar
een virus is onzichtbaar

maar jij,
mijn levensgezel,

jij bent zichtbaar
helemaal zichtbaar
grootser dan
alle onzichtbare dingen.

(無)形

上帝無形
靈魂不可見
德性無形
病毒會神隱

可是你啊
我生命的伴侶

你　歷歷在目
完美展示
勝過
世上所有的無形

De ontmoeting

Oversized
hangt de camelpull nonchalant
over de onthoofde etalagepop
die ik mijn gezicht leen
en met haar deel
de wollen prikkels op mijn huid.

Oversized
is mijn verlangen naar hem
als hij bruusk met haar
ons blikveld breekt.

Mijn hart huilt als de wolven.

邂逅

特大號的
駝絨帽子隨意地
掛在無頭的人體模型之上
我用我的臉
與她的一起分享
絨毛刺激著我的皮膚。

特大的
是我對她的渴望
可她突然的離開
終結了我們可能的未來。

我的心像狼一樣地哀嚎。

Nog eenmaal thuiskomen

Laat mij nu
vanuit de oeverloze zee
terugvloeien
naar de geborgenheid
van de stroom.

再一次回家

現在
就讓我
從無邊的大海
流回
安全的
小溪。

Woeste hoogtes

Een verdwaalde regendruppel
zoekt onhandig zijn weg
in zijn linkeroog beeft een traan
weet je nog hoe verliefd wij waren
je ranke middel
smal als de rits kleurige armbanden
die neervielen op je lichtroze nagels
haar altijd bevend hoofd zegt ja

weet je nog hoe fier we trouwden
je blonde haren een gouden rivier
die speels onder je strohoedje uit golfde
haar altijd bevend hoofd zegt ja

weet je nog hoe we elkanders handen grepen
bij het zien van zoveel gesloten ogen
jij wilt toch nog niet dood vandaag
haar altijd bevend hoofd zegt ja

woest bonkt hij vijf hoog
met zijn knekelvuisten
op het veiligheidsglas
van het zorgcentrum.

一顆迷途的雨珠兮
笨拙地在他的左眼裡
不停地打轉

還記得我們是多麼的相愛嗎
你纖細的腰兮
如從你淡粉色指甲上滑落的
金色手鐲一樣的大小
不停抖動著頭的她說是的

還記得我們結婚時多麼的自豪嗎
你美麗的金發兮
在你的草帽下如一條金色的河流
頑皮地翻著波浪
不停抖動著頭的她說是的

還記得我們如何握住彼此的手嗎
看到這麼多閉著的眼睛
你不想今天就離開我吧
不停抖動著頭的她說是的

在五樓
他用緊握的雙拳兮
拚命地敲打
護理中心的強化玻璃。

El gaucho van de passie

Opduikend uit de ochtendmist
spiedende ogen in een gegroefde kop
zijn weg kiezend
voorbij het groengrijs van de rietkraag
het zachtgroen van het kroos
het zwartgroen der moerassen
het dichte van de mangrove
doorheen de gele zandlijn
kronkelende adderspoor
een duin als naakte vrouwenrug
abstracte parabool
tot waar het wit van schurend zout
het blauw van de hemel maakt
tot dood onleefbaar land
het pad zoekend naar verwilderde vrouwen
om hen ongevraagd als heer en bruut
te vangen en te brandmerken
zijn bestaan onwetend
voor hen aan wie ze toebehoren
en dan even snel
weer te verdwijnen
als hij is gekomen
de gaucho van de passie
als hij weggaat
vraag dan niet naar waar
hij heeft een hart als een rivier
en weet niet waar hij rust zal vinden
misschien voorbij de rand
van groen
en geel
en wit.

極度的悲傷

一顆迷途的雨珠兮
笨拙地在他的左眼裡
不停地打轉

還記得我們是多麼的相愛嗎
你纖細的腰兮
如從你淡粉色指甲上滑落的
金色手鐲一樣的大小
不停抖動著頭的她說是的

還記得我們結婚時多麼的自豪嗎
你美麗的金發兮
在你的草帽下如一條金色的河流
頑皮地翻著波浪
不停抖動著頭的她說是的

還記得我們如何握住彼此的手嗎
看到這麼多閉著的眼睛
你不想今天就離開我吧
不停抖動著頭的她說是的

在五樓
他用緊握的雙拳兮
拚命地敲打
護理中心的強化玻璃。

Demonen

Hersenen
gemarineerd in angst
vacuüm verpakt.

灰暗心態

腦子兮
沉浸在恐懼裡
又被真空包裝。

Ik hou van haar handen

Zeef mij, zoet mij, zout mij
strooi mij zachtjes in het rond
les mijn dorst en kleur mijn blankheid
schraap mij samen
tot ik mij veerkrachtig rond je vingers wind
die kneuzen en breken
om mij als een stout kind
in het donker te steken
waar ik verrijs na elke vierendeling
als de draak met duizend koppen
rest alléén het vuur dat mij bruint
en geuren doet naar verse ochtend
achter het raam lig ik te wachten
tot ik vreemd mag gaan.

我喜歡她的手

用篩子篩，加糖、加鹽
輕輕地灑在我的周邊
加水讓我解渴
也讓我白皙的皮膚變得多彩
不停地將我攪拌　直到
我有彈性地纏繞於你的手指
渾身是傷痕與破損
我就像一個頑皮的孩子
在黑暗中被分割成四塊兮
每一塊都會膨脹升起
如同一條多頭的龍
火焰將我烤得褐棕　留下
在清晨聞到的味道
我在櫥窗後耐心地等待兮
直到被你出賣。

譯者註：詩人用擬人化的手法描畫了從麵粉到麵包的過程。

Mijn vaderland

Bomen die het erf omzomen
om zotte winden in te tomen
wilgenhout dat nederig buigt
en water uit de meersen zuigt
mijn land, mijn land
doorwaaid en plat.

我的祖國

庭院邊一排排樹木兮
抵擋著狂風
謙卑躬身的垂柳
從湖泊中吸水
我的土地，我的家園
大風吹過兮我的平原。

Valentijn

Wat heb je eraan
geluidloos te vliegen als een adelaar
de wereld zien vanuit een rieten mandje
wat doe je in godsnaam
met een luipaardtangaslipje
en een zijden liefdesmasker
kregelig ruim ik
de zolder van mijn ziel op
de hele troep
naar de verdoemenis wensend
en toch spaar ik angstvallig
dat oud, leeg en beduimeld pralinendoosje
waarvan ik elk jaar opnieuw
de door de tijd
langzaam wegvlakkende letters
van je handschrift
teder van de webben ontdoe.

情人節

有什麼好處呢
如果像鷹一樣靜靜地飛翔
從柳條框子裡看世界
你到底在做什麼呢
穿著豹紋丁字褲
戴著絲綢的愛心面具
脾氣煩躁的我
來自靈魂深處的厭惡
這變得一團糟的節日
應該受到詛咒
但我還是認真地將錢存在
那個陳舊而空空的、熟悉的糖果盒子
每年都這樣做兮
時間在流逝
慢慢褪色的文字
你留下的筆跡
與蜘蛛網一起輕輕地抹去。

Genesis

Eerst vond Hij de vrouw uit
nam de pen tussen de vingers
en blies
op het papier verscheen de leugen
Hij schrok
uit de leugen koos Hij de woorden
als decor voor wat Hij zeggen wou
Hij grijnsde
want Hij wist wat er zou gebeuren
de leugen zou de waarheid verslinden
langzaam vanaf de zevende dag
toen blies Hij op de leugen
en zei jij bent de waarheid
zo liegen dichters.

創世紀

祂首先造出了女人
筆在手指之間
祂輕輕一吹兮
紙上出現了謊言
祂吃了一驚兮
在謊言中挑選了一些詞語
作為祂要講述的事件的背景
祂咧嘴一笑兮
因為祂知道會發生什麼
謊言將吞噬真相
慢慢地從第七天開始
然後祂對著謊言嘆了一口氣
說你就是真理
因此詩人也撒謊。

譯者註:「祂(上帝)知道會發生什麼」是理解該詩的關鍵。

Index gedichten

Erkenning.

Ik bedank oprecht mijn dichter en vriend, de
heer Yiyang HAN (*)
voor het schrijven van de vertalingen
van mijn 17 gedichten
naar klassiek Chinees

Hervé Deleu

* Yiyan Han, een Britse Chinees met een bachelor-, master- en PhD-diploma in natuurkunde, heeft jarenlang een carrière in wetenschappelijk onderzoek nagestreefd en een flink aantal artikelen gepubliceerd in internationale tijdschriften. In zijn vrije tijd schrijft en verzorgt hij al jaren Chinees-Engelse literatuurvertalingen, vooral poëzie.

Milton Keynes UK
Ingram Content Group UK Ltd.
UKRC030833020424
440455UK00006B/82